L'oiseau
des sables

**Données de catalogage avant publication
(Canada)**

Demers, Dominique
L'oiseau des sables
Pour enfants.

ISBN 2-89512-311-X (rel.)
ISBN 2-89512-312-8 (br.)

I. Poulin, Stéphane. II. Titre.

PS8557.E468O47 2003 jC843'.54 C2003-940321-1
PS9557.E468O47 2003
PZ23.D45Oi 2003

Directrice de collection : Lucie Papineau
Direction artistique et graphisme :
Primeau & Barey

Dépôt légal : 3e trimestre 2003
Bibliothèque nationale du Québec
Bibliothèque nationale du Canada

Dominique et compagnie
300, rue Arran
Saint-Lambert (Québec) J4R 1K5
Téléphone : (514) 875-0327
Télécopieur : (450) 672-5448

Courriel :
dominiqueetcie@editionsheritage.com
Site internet :
www.dominiqueetcompagnie.com

Imprimé en Chine
10 9 8 7 6 5 4 3 2

Nous remercions le Conseil des Arts du Canada
de l'aide accordée à notre programme de
publication, ainsi que la SODEC et le ministère
du Patrimoine canadien.

Gouvernement du Québec – Programme de crédit
d'impôt pour l'édition de livres – Gestion SODEC.

À Pierre et à Charlot
D.D.
À Guillaume
S.P.

L'OISEAU DES SABLES

Texte : Dominique Demers
Illustrations : Stéphane Poulin

Dominique et compagnie

L'histoire que je vais te raconter est vraie. Elle commence il y a longtemps, quand j'avais ton âge. À l'époque, mon plus beau trésor était un sac de billes. Une pochette de soie verte remplie de boules de verre multicolores. Ma préférée lançait des éclairs mauves et dorés.

Un jour, le pire est arrivé. Un méchant garnement a volé mon trésor.

J'ai tout raconté à mon père, un homme de peu de paroles qui savait écouter. Il m'a pris par la main et nous avons marché sur la plage.

Je me rappelle encore le tumulte des vagues et les prouesses du vent. Mais mon meilleur souvenir, c'est simplement papa, marchant à côté de moi.

Nous habitions une grande île fouettée par de formidables marées et incendiée par des soleils éblouissants. L'île abritait un phare, une tour lumineuse, comme un flambeau dans la nuit pour guider les pêcheurs égarés.

C'est au pied du phare que mon père trouva la fleur de sable.
On aurait dit un simple coquillage, ou peut-être un caillou,
tatoué de pétales sombres et extraordinairement léger.

J'examinai longuement l'étrange objet. Puis, sans m'avertir, papa émietta la fleur entre ses doigts. Cinq minuscules oiseaux s'en échappèrent. De toutes petites colombes de pierre. Ou peut-être étaient-ce des aigles blancs ?

– Tiens, c'est à toi, déclara mon père d'une voix solennelle. Cinq oiseaux. Chacun d'eux pourra exaucer un de tes vœux.

Papa me dit ensuite :

– Pour que ton vœu se réalise, tu devras marcher jusqu'à la mer ou jusqu'à un cours d'eau filant vers l'océan, et y lancer ton oiseau.

Il fit une pause puis ajouta :

– Prends le temps de bien réfléchir. Fouille en toi. Pour trouver l'essentiel. Le plus important.

J'ai fait mon premier vœu.

Le lendemain, on retrouva ma pochette de soie verte.
Toutes les billes y étaient, même celle qui lançait des éclairs
mauves et dorés.

Après, j'ai grandi un peu.
Puis mon père est mort.

Il aurait aimé disparaître en mer,
entouré de poissons scintillants
et d'algues dansantes. Mais la
vie en a décidé autrement et c'est
un accident qui l'a emporté.

Ma peine était comme un ouragan.
Dévastatrice. Terrifiante.
Ma peine était tellement immense
que j'avais perdu le goût de vivre.

C'est alors que j'ai pensé aux
colombes de pierre. Ou peut-être
étaient-ce des aigles blancs ?

J'ai abandonné un des oiseaux
à la mer. Rien ne pouvait ramener
mon père. Alors j'ai simplement
souhaité trouver assez de courage
pour continuer à vivre.

Mon vœu fut exaucé.

J'ai grandi et grandi… Notre île était devenue trop petite pour moi.
Je voulais explorer le monde, aller de l'autre côté de l'océan.
Et plus loin encore.

Je suis devenu pilote d'avion. Dans mon grand oiseau de métal,
je transportais des cargaisons précieuses et des gens très importants.
Je ne craignais ni les tempêtes, ni la nuit, ni les ciels en furie.

Un jour, un des moteurs de mon avion s'arrêta en plein ciel. Il me fallut atterrir d'urgence sur des rives inconnues.

C'est là que j'ai rencontré une jeune fille aux yeux d'orage et aux mains d'oiseaux. Ses cheveux étaient longs et souples comme les algues. Elle s'appelait Maïla, un mot chantant qui signifie « goutte de mer ».

Ce même soir, j'ai sacrifié un autre oiseau pour faire un vœu. Et, une fois de plus, il fut exaucé.

Un an plus tard, j'épousais Maïla et je l'emmenais dans l'île où j'avais grandi. Il ne me restait plus que deux colombes de pierre. Ou peut-être étaient-ce des aigles blancs ?

Vint la guerre. Mon oiseau de métal ne transportait plus de cargaisons précieuses ni de gens très importants. Il conduisait des soldats blessés jusqu'à des hôpitaux de fortune. Je risquais ma vie en traversant des ciels criblés d'obus. Mais je n'avais pas peur de mourir. C'était l'idée de ne plus revoir Maïla qui me rendait fou.

À la veille d'une terrible attaque, j'ai couru jusqu'à un ruisseau, bravant la nuit, les feux et l'ennemi, et j'y ai jeté un autre petit oiseau blanc. J'ai fait le souhait de ne pas mourir maintenant.

À la fin de la guerre, j'étais vivant.
Maïla m'attendait. Son ventre était
rond et plein. C'est toi qui poussais
là-dedans.

Tu n'étais pas encore né que, déjà,
tu m'étourdissais de joie. Mais j'étais
aussi rongé par la peur, déchiré par
les remords. Il ne me restait plus
qu'un seul oiseau. Je regrettais de ne
pas les avoir tous gardés pour toi.

La nuit de ta naissance, la pluie tombait dru, et l'île était
assaillie par des vents violents. Ta mère se lamentait,
le ventre secoué par de fabuleuses marées.

J'avais envie de courir à toutes jambes jusqu'à la mer pour
y lancer mon dernier oiseau, en souhaitant que tu naisses
grand et fort et que Maïla ne souffre plus.

Mais j'hésitais. Après, il n'y aurait plus d'oiseaux…

J'allais quand même courir, sacrifier
mon dernier souhait, lorsque je
me rappelai le jour où mon père
avait trouvé la fleur de sable. Je me
souvenais des vagues et du vent,
mais surtout de mon père marchant
à côté de moi.

Je repensai alors aux quatre vœux
déjà exaucés. Je revis la pochette
de soie verte et la bille lumineuse,
mon père immobile, sans vie, la
jeune fille aux yeux d'orage et aux
mains d'oiseaux, le ciel en guerre
et les soldats souffrants.

« Prends le temps de bien réfléchir »,
avait dit papa.

L'oiseau minuscule reposait dans ma main. Par la fenêtre, je voyais la mer.

Je fermai les yeux et je fis un vœu. Une simple prière à la mer. J'y mis toute ma ferveur, toute ma foi. J'appelai secrètement les puissances de l'eau, du ciel, des vagues et du vent, les suppliant d'être bonnes pour toi. Et pour Maïla.

Tu es né en poussant de formidables rugissements. Si tu savais comme nous étions contents !

J'ai gardé pour toi le dernier oiseau, colombe de pierre
ou aigle blanc.

À toi de décider maintenant. Réfléchis bien, fouille en toi.
Pour trouver l'essentiel, le plus important.

A-t-on besoin d'un oiseau ou suffit-il d'une simple prière
adressée à la mer, au ciel ou au vent ?

Quoi que tu décides, je marcherai toujours à tes côtés.